$\mathscr{N}$uits ~~m~~ à $\mathscr{L}$yon

Cover and Chapter Art by
Irene Jiménez Casasnovas

by
Kristy Placido

Edited by
Carol Gaab

French Translation & Adaptation by
Rochelle Barry

Copyright © 2011 Fluency Matters
All rights reserved.

ISBN: 978-1-935575-62-7

Fluency Matters, P.O. Box 11624, Chandler, AZ 85248

info@FluencyMatters.com • FluencyMatters.com

A NOTE TO THE READER

This novel contains basic level-one vocabulary and countless cognates (words that are similar in two languages), making it an ideal read for beginning students.

Essential level-one vocabulary is listed in the glossary at the back of the book. Keep in mind that many verbs are listed numerous times throughout the glossary, as most are listed in various forms and tenses. (Ex.: I go, he goes, he went, etc.)

Cultural vocabulary and any vocabulary that would be considered beyond a 'novice-mid' level are footnoted at the bottom of the page where each appears.

We hope you enjoy the novel! Happy reading from Fluency Matters.

Table of Contents

Chapitre 1
Un jour de bien et de mal

Le six juin, Kevin Fowler va à sa maison. C'est le jour de sa remise de diplôme. Maintenant, Kevin est adulte. C'est une occasion à célébrer et Kevin est très content. En septembre, Kevin va étudier à l'Université de New York. Il ne va pas habiter avec sa maman. Maintenant, il est un homme. Dans deux jours, il va aller en France. Il va étudier en France pendant les mois de juin, juillet et août. Kevin s'assied devant son ordinateur. Kevin regarde sa chambre. Il n'y a pas de vêtements par terre.

Il n'y a pas de papier sur la table. Kevin est un garçon parfait. Il a une chambre parfaite. Ses vêtements sont parfaits. En classe, il est parfait.

Kevin s'assied devant son ordinateur MacBook® pour regarder Facebook. Il écrit un nouveau statut:

Statut: Kevin Fowler a une vie parfaite. Il a reçu son diplôme et il part pour la France dans deux jours.

Les parents de Kevin sont divorcés. Il habite avec sa maman Sandy et son beau-père[1], Mike, dans une petite ville du Michigan. Son beau-père est très bon. Il aime son beau-père. D'habitude il rend visite à son père en Pennsylvanie en décembre et en juillet.

Kevin a de bonnes notes[2] à l'école et il étudie beaucoup. Kevin est un étudiant parfait. Il a beaucoup d'amis. Il est président de sa classe. Ses vêtements sont parfaits. Il joue très bien au tennis. Il a beaucoup de trophées dans sa chambre et à l'école. Sa copine est une des filles les plus jolies et populaires de l'école. Tanya Webber est la fille

[1]beau-père - stepfather
[2]bonnes notes - good grades

parfaite. Kevin pense à l'année passée: En octobre il est allé avec Tanya à la soirée de Homecoming et ils étaient roi et reine[3] de Homecoming. En novembre, ils sont inséparables. Pour Noël, Kevin a donné un iPod® à Tanya avec toute la musique qu'elle aime. Pour La Saint-Valentin, Kevin a donné des roses à Tanya et Tanya a donné des chocolats à Kevin. En avril, ils sont allés à la soirée de Prom dans une limousine et ils étaient les plus beaux de la soirée. Le six juin est le jour de sa remise de diplôme. Dans deux jours, Kevin va aller en France.

Kevin regarde sur Facebook® pour voir ce qui se passe dans la vie de ses amis.

Kevin voit: Tanya Webber a changé sa situation amoureuse à "célibataire". Célibataire ! Céliba-taire ? Comment célibataire ? Elle est sa copine ! Tanya n'a mentionné aucun problème. Kevin se sent[4] très mal en ce moment. Il veut

[3]*roi et reine - king and queen*
[4]*se sent - feels*

3

pleurer. Il veut crier. Il veut détruire l'ordinateur. Kevin crie «Pourquoi ?» à l'ordinateur. L'ordinateur ne lui répond pas.

Kevin décide de téléphoner à Tanya. Il lui téléphone et il entend sa voix: «Allô, c'est Tanya, si tu es mon ami, parle quand tu entends le bip, et si tu n'es pas mon ami, ne parle pas ! Biiiiiiiip !». Kevin ne peut pas parler. Il veut pleurer. Il se sent triste, fâché et perturbé. Ce n'est pas possible. Kevin et Tanya. Tanya et Kevin. Parfaits. Ce n'est pas possible !

    – Kevin ! –crie sa maman–. La maison est un désastre ! S'il te plaît ! Aide-moi !

Kevin aime la perfection, mais maintenant ce n'est pas important pour lui si la maison est un désastre. Kevin a des problèmes plus sérieux en ce moment. Il n'a pas de copine et il part pour la France dans deux jours. Mais il ne veut pas de problèmes avec sa maman.

    – Pardon, maman – répond Kevin.

Kevin veut pleurer ou crier, mais il va seulement aider sa maman. Il ne parle pas avec sa maman. Il ne lui explique pas la situation. Il doit parler avec Tanya. Il veut une explication. En ce moment il est fâché. Il se dit «Célibataire[5]! Facebook ! C'est terrible !».

Il aide sa mère dans la maison et après il s'en va de la maison pour se promener. Il prend son téléphone portable. Il n'y a aucun texto de Tanya.

Kevin décide qu'il doit parler avec son ami Dylan. Dylan n'est pas parfait. La vie de Dylan est très différente de la vie de Kevin. Les parents de Dylan ne sont pas divorcés, mais ils ont besoin de divorcer selon Dylan. Ils crient beaucoup. Dylan n'est pas parfait à l'école comme Kevin. Les notes de Dylan sont mauvaises en général, mais il a un B- en cours de français. Ce n'est pas terrible, mais ce n'est pas excellent non plus. Les vêtements de Dylan ne sont pas parfaits. Ses vêtements sont un peu moches et un peu tristes. Il n'a pas de nouveaux vêtements. Dylan achète ses vêtements dans une boutique de vêtements de seconde main qui s'appelle Goodwill. Dylan ne s'intéresse pas aux vêtements. Dylan a beaucoup d'amis. C'est un bon garçon. Dylan parle et rit beaucoup. Il

[5]*célibataire - single*

chante et danse beaucoup et il va à de nombreuses fêtes. Dylan va souvent avec ses amis au parc de planche à roulettes avec sa planche à roulettes[6]. Dylan n'a pas de problèmes avec les filles. Il n'a pas de problèmes en amour. Beaucoup de filles admirent Dylan. Dylan n'a pas de copine, mais beaucoup de filles l'admirent.

«Driiing, driiing.»

– Allô ? – dit Dylan.

– Dylan, c'est Kevin.

– Hé, mec!! Qu'est-ce qui se passe ? Sais-tu que nous allons en France dans DEUX jours ?

Quarante-huit heures, mon vieux ! Il y a un parc de planche à roulettes à Lyon. Je veux y aller avec ma planche à roulettes ! – crie Dylan dans le portable.

– Dylan, je ne veux pas parler de ta planche à roulettes. J'ai des problèmes. Tanya ne veut pas être ma copine maintenant. Je suis fâché et perturbé. J'ai vu dans Facebook qu'elle était célibataire. Elle ne

[6]*planche à roulettes - skateboard*

répond pas à mes textos.

– Mon vieux, c'est terrible. Mais voyons, il y a beaucoup de jolies filles en France. Et tu vas à New York en septembre. Tanya n'est pas importante.

– Merci, Dylan. Tu m'aides beaucoup. Je vais bien maintenant– répond Kevin avec sarcasme.

– Pas de problème ! Ciao, mon vieux ! Clic.

Statut: Kevin Fowler va en France dans deux jours.

Chapitre 2
Une famille bizarre

C'est le huit juin. Kevin et Dylan vont à l'aéroport. Kevin a beaucoup de questions pour Dylan.

– As-tu ton passeport ? As-tu des livres pour lire dans l'avion ? Vas-tu en France avec ces vêtements moches ? Comment s'appelle la rue où tu vas habiter ? As-tu l'adresse de ta famille ? Penses-tu que tu sais parler assez français ?

– Kevin ! –rit Dylan– Repose-toi ! Tout va bien, mon vieux...tu es avec moi. Montons dans l'avion. Au revoir, le Michigan !

Ils montent dans l'avion. Dans l'avion, Kevin regarde le papier avec les détails sur sa famille en France. Kevin imagine une maman et un papa. Il imagine qu'ils ont trois enfants. Deux garçons et une petite fille. Un des garçons a dix-neuf ans et il a beaucoup d'amies célibataires. Il imagine qu'une des amies regarde Kevin et veut être sa copine. Elle est la fille la plus jolie de la France. Elle est plus jolie que Tanya.

> – Hé, mec ! Regarde ! L'Océan Atlantique !
> –dit Dylan, interrompant la rêverie de Kevin.

A vrai dire[1], Kevin n'a pas beaucoup de détails sur sa famille en France. Il a seulement l'adresse de la maison à Lyon. Dylan va habiter avec une famille différente dans une rue différente. La famille de Dylan habite dans une rue près de l'université où il va suivre des cours. Kevin est très nerveux, mais Dylan n'est pas du tout nerveux. Kevin ne comprend pas Dylan. Ils vont habiter avec des familles en France et Dylan n'est pas nerveux. Dylan écoute son iPod, chante et regarde par la

[1] *à vrai dire - to tell the truth*

fenêtre.

Quand ils arrivent à l'aéroport de Lyon, Kevin et Dylan regardent toutes les personnes. Il y a une famille avec le nom de Dylan sur un papier. Dans la famille, il y a une maman, un papa et trois enfants. Deux garçons et une petite fille. Le garçon le plus grand a dix-neuf ou vingt ans. C'est la famille de rêve de Kevin ! Mais ce n'est pas la famille de Kevin ! C'est la famille de Dylan.

Il y a une femme qui a un papier avec le nom de Kevin. La femme est très petite et âgée. Il n'y a pas de papa. Il n'y a pas d'enfants. Il y a seulement une vieille femme. Ses cheveux sont blancs. Ses dents ne sont pas blanches. Elle s'appelle Marie-Louise.

Kevin dit: «Bonjour, je suis Kevin». La vieille femme lui fait deux bises. Kevin a envie de vomir parce que la femme est très vieille et son parfum est très fort. Mais il sait que c'est la coutume d'embrasser les personnes en France. Il regarde Dylan. Dylan va avec sa famille dans une Mercedes. Dylan dit: «A bientôt, Kevin !».

Kevin va avec Marie-Louise dans un taxi. Ils

vont dans le quartier du Vieux-Lyon. C'est une zone célèbre près de la Basilique Notre-Dame de Fourvières et les Théâtres Romains. Marie-Louise marche vers la maison. Mais ce n'est pas une mai-son normale.   C'est une maison médiévale ! La maison a une porte normale et deux fenêtres, mais elle a aussi des tours médiévales. Quand Kevin entre dans la maison, il voit que c'est presque[2] comme une maison normale.

– Assieds-toi –dit Marie-Louise.

Kevin s'assied à table. Marie-Louise a beau-coup de nourriture sur la table. Il y a beaucoup de nourriture typiquement française. Il y a du pot-au-feu[3], du foie gras et une baguette. Le pot-au-feu est un plat typique de la France. Tout est très bien. Kevin aime bien la nourriture. Kevin mange et Marie-Louise parle. Elle n'a pas de questions pour Kevin. Elle parle et elle parle de sa vie. Elle n'a pas de mari. Son mari est mort il y a vingt ans[4]. Elle a trois enfants, mais ils sont grands et ils ont des

[2]*presque - almost*
[3]*pot-au-feu - classic stew with meat and vegetables*
[4]*son mari est mort il y a vingt ans - her husband died 20 years ago*

enfants. Elle a des photos de son mari et de ses enfants. Kevin mange, il écoute, et il regarde les photos.

Kevin est très content de la nourriture. Marie-Louise met encore de la nourriture sur la table. Kevin ne veut plus manger, mais il ne veut pas faire de la peine à Marie-Louise.

Kevin mange encore plus. Il entend la porte : « criiiic»! Marie-Louise se lève.

> – Alphonse arrive ! –dit Marie-Louise joyeusement.

> – Qui est Alphonse ? –se demande Kevin.

Un garçon entre dans la maison. *«Est-ce que c'est le fils de Marie-Louise ? Mais elle n'a pas mentionné un fils qui s'appelle Alphonse»*.

Alphonse a un faucon[5] dans une main et un petit animal dans l'autre main. Alphonse dit:

> – Regarde, le faucon a attrapé un lapin[6]!

[5]*faucon - falcon*
[6]*lapin - rabbit*

12

Kevin voit que le garçon a un lapin dans la main. Kevin crie comme une petite fille quand il voit le lapin. Le lapin est mort. Kevin est dégoûté et surpris. Chez lui[7] aux Etats-Unis sa mère achète la viande dans le supermarché. Aux Etats-Unis, un faucon n'attrape pas la viande ! Maintenant il sait que la viande dans le pot-au-feu est du lapin. Kevin ne veut pas manger de lapin. Mais il sait qu'il a déjà mangé le lapin dans le pot-au-feu.

Alphonse regarde Kevin et il rit.

> – Salut, je suis Alphonse. Tu n'aimes pas les faucons ?
>
> – Salut, je suis Kevin. Pardon. Le faucon est très beau. Il m'a surpris.

Marie-Louise rit et dit à Kevin:

> – Alphonse est un bon garçon.

Elle l'embrasse sur le visage et continue à parler d'Alphonse:

> – Alphonse habite avec moi depuis vingt ans. Il m'aide beaucoup. Il n'est pas mon fils mais il m'aide beaucoup.
>
> – Marie-Louise, ce n'est pas vrai. J'habite

[7]*chez lui - at home*

13

avec toi depuis deux ans, pas vingt –dit Alphonse.

Marie-Louise a l'air surprise, ne répond pas, et s'en va.

– N'écoute pas Marie-Louise, –Alphonse dit à Kevin– elle est très vieille et elle est perturbée. Je n'ai pas de famille. J'étudie à l'université et j'habite ici avec Marie-Louise. Elle a besoin de moi et j'ai besoin d'une maison.

Kevin mange un peu plus. Alphonse regarde Kevin.

– Kevin, pourquoi as-tu la main sous la table ? Que fais-tu ? Vas-tu m'attaquer avec une épée[8]?

Maintenant, Kevin est surpris.

– T'attaquer avec une épée ? Je ne suis pas pirate. Je ne fais rien. Je mange, c'est tout.

– Ici en France nous ne mettons pas les mains sous la table quand nous mangeons –lui répond Alphonse.

[8]*épée - sword*

Alphonse disparaît avec le faucon. Kevin pense: *«C'est bien d'entrer dans la maison avec un faucon et un animal mort, mais je ne peux pas mettre la main sous la table en France ? Quelle famille folle !».* Kevin va dans sa chambre.

Statut: Kevin Fowler habite avec une vieille perturbée, un garçon bizarre et un faucon. Ma nouvelle vie n'est pas du tout agréable[9].

[9]*agréable - pleasant*

Chapitre 3
Le joueur de tennis fou

Le matin suivant[1] Kevin est content parce que dans la maison il y a du café, des fruits et des croissants. Il n'y a pas de lapin sur la table. Kevin mange un croissant et boit du café. Alphonse arrive à la maison habillé en blanc et avec une raquette de tennis. Les vêtements sont blancs et les dents d'Alphonse sont parfaitement blanches aussi.

    –Tu joues au tennis ? Moi aussi, je joue au tennis –dit Kevin.

[1]suivant - following

– Ça se voit, n'est-ce pas ?

Kevin n'aime pas Alphonse. Il veut humilier Alphonse sur le court de tennis. Kevin pense: *«Je vais détruire Alphonse,hi hi hi»*.

> – A mon école, j'étais le joueur de tennis numéro un. J'ai reçu un trophée de mon école.

Alphonse rit.

> – Ah, oui ? Eh bien, c'est très intéressant –il répond avec sarcasme–. Veux-tu jouer aujourd'hui ?
>
> – Aujourd'hui ? Peut être. J'ai un rendez-vous avec mon ami Dylan et son ami Lucas.

Alphonse boit son café et regarde Kevin.

> – Dylan et Lucas contre toi et moi. En double –rit Alphonse encore une fois.

Kevin envoie un texto à Dylan et tout le monde va au club de tennis. Alphonse est membre du club. Au club de tennis, beaucoup de personnes disent "Salut!" à Alphonse. Alphonse est très populaire. Les membres du club rient quand ils voient les garçons américains. Dylan n'a pas de raquette, mais Alphonse lui en donne une. Bien sûr que Kevin a une raquette.

Ils vont sur un court de tennis et ils jouent. Alphonse est très sportif et il joue très bien. Il est très rapide et il attaque la balle de tennis. Kevin, Dylan et Lucas regardent Alphonse. Il joue comme un fou. Les autres garçons courent beaucoup et se fatiguent beaucoup, mais Alphonse court[2] beaucoup et ne se fatigue[3] pas. Finalement, Kevin dit: «Alphonse, un moment ! Je veux boire de l'eau. Je suis fatigué».

> – Pauvre Kevin. Tu n'es pas expert au tennis ? Tu es fatigué ? Je ne suis pas du tout fatigué. Que c'est triste. Où est ton trophée maintenant ? –dit Alphonse.

Maintenant, Kevin est un peu fâché. Kevin pense: *«Nous allons voir qui est l'expert au tennis!»*.

> – Allons-y. Jouons ! –répond Kevin.

Dylan et Lucas regardent Kevin avec des yeux énormes.

> – Mon vieux, tu es fou ! Ce garçon n'est pas humain. C'est une bête. C'est un monstre. Ne joue plus ! –dit Dylan.

Alphonse rit.

[2]*court - runs*
[3]*se fatigue - gets tired*

18

    – Hi hi hi ! Pauvres garçons. Ils sont très
    fatigués. Allons-y Kevin. Toi et moi.

Kevin se lève et il va vers le court de tennis
encore une fois. Alphonse sert la balle. La balle
arrive avec beaucoup de force directement sur le
nez de Kevin.

    – Aïe ! –crie Kevin.

Dylan et Lucas voient que beaucoup de sang[4]
coule du nez de Kevin. Alphonse ne dit rien, mais
il regarde Kevin avec des yeux fâchés. Il ne dit pas
«pardon» à Kevin, il ne l' aide pas, seulement il le
regarde. Il regarde le sang qui coule du nez de
Kevin et il rit.

Kevin regarde Alphonse,
mais il ne rit pas. Il est fâché
et son nez lui fait mal[5]. Kevin
touche son nez et il observe
que beaucoup de sang coule
de son nez. Kevin regarde le
sang dans sa main et veut
vomir. Il n'aime pas du tout
le sang. Il trouve le sang dégoûtant[6].

   [4]*sang - blood*
   [5]*lui fait mal - it hurts him*
   [6]*dégoûtant - disgusting*

19

Dylan et Lucas courent pour aider Kevin. Alphonse n'est plus là. Il a disparu. Dylan regarde le nez de Kevin et lui demande:

– Aïe, Kevin ! Est-ce que ça fait mal ?

Le nez lui fait très mal, mais Kevin ne veut pas l'admettre. Il répond courageusement:

– Ce n'est rien. Ça ne me fait pas mal.

Kevin ne voit pas Alphonse et demande à Dylan et à Lucas:

– Où est Alphonse ?

– Je ne sais pas –lui répond Dylan.

Statut: Kevin Fowler habite avec un joueur de tennis fou.

Chapitre 4
La fille au café

Le jour suivant, Kevin se promène dans la rue et il va sur la Place Bellecour. Dylan est sur la place. Dylan mange un croque-monsieur[1]. Quand Dylan voit son ami, il sourit beaucoup, ce qui est normal pour Dylan. Kevin ne sourit pas. Kevin est de mauvaise humeur[2]. Il n'aime pas la famille avec laquelle il habite et il n'aime pas la maison. Kevin pense que c'est une maison de fous. Dylan est de très bonne humeur. Il dit:

[1]croque-monsieur - grilled ham and cheese sandwich
[2]de mauvaise humeur - in a bad mood

– Regarde ce sandwich. C'est délicieux. Ma famille prépare beaucoup de nourriture et toute la nourriture est fantastique. Mon "frère" Lucas est incroyable. Nous allons souvent à la discothèque et nous dansons avec beaucoup de jeunes filles. Elles sont les amies de Lucas. Les filles sont super jolies ! Dans ma chambre, il y a une télévision, un ordinateur et une Xbox®. J'aime beaucoup ma maison !!!

Quand finalement Dylan respire, Kevin le regarde et lui dit:

– Je n'aime pas ma famille. Ils sont bizarres. Ils habitent dans une maison médiévale. Alphonse ne va pas à la discothèque. Et il m'a frappé sur le nez avec une balle de tennis !

Kevin a le nez très rouge. Il est de très mauvaise humeur. Mais dans deux jours Kevin et Dylan vont aller en classes à l'université.

Kevin et Dylan décident d'explorer un peu la ville. Ils se promènent pendant vingt minutes. Ils veulent boire un café à Starbucks®. Ils ne voient aucun Starbucks®, mais ils voient un joli café français. Ils ont besoin d'un peu de caféine. Ils entrent dans le café.

Kevin s'aperçoit qu'il y a une fille dans le café avec un ordinateur. Elle a un ordinateur MacBook. Kevin aime beaucoup les ordinateurs Mac. Il regarde aussi la fille. Elle est jolie. Elle a un joli visage[3]. Elle a de grands yeux verts. Elle a les cheveux noirs et un peu en désordre. La fille regarde Kevin avec curiosité.

– Salut –dit la fille.

– Salut. Pardon. Je regardais ton ordinateur. J'ai cet ordinateur chez moi.

– Ah, et d'où es-tu ?

– Je suis des Etats-Unis, de l'état du Michigan.

– Michigan… Est-ce que c'est près de New York ou près de Hollywood ?

Kevin rit.

[3]*visage - face*

23

– Ce n'est près de rien. Ma ville est petite et rurale. Il y a des animaux et de l'agriculture. Il n'y a pas beaucoup de grandes villes. Eh bien, je m'appelle Kevin. Comment t'appelles-tu ?

– Je m'appelle Solange. Enchantée.

– Salut, je m'appelle Dylan ! –interrompt Dylan.

– Enchantée, Dylan ! –dit Solange.

En ce moment, Kevin entend une voix familière. Un garçon dit:

– Salut, Solange ! Ça va ?

Kevin voit que c'est Alphonse. Alphonse embrasse Solange.

– Salut, Alphonse. Je te présente mon nouvel ami Kevin.

Alphonse regarde Kevin et rit.

– Ah, oui, Kevin. C'est mon petit frère d'Amérique –dit Alphonse en regardant Kevin. Il pense qu'il est supérieur. Solange est une amie de l'école. Kevin, pourquoi as-tu le nez rouge ? Hi, hi, hi ! Solange, sais-tu que Kevin joue au ten-

nis ? Aux Etats-Unis il a un trophée. Hi,
hi, hi !

Kevin n'aime vraiment pas Alphonse. Il est très
bizarre et détestable. Kevin veut partir.

> – Eh bien, je dois téléphoner à ma mère
> maintenant. Allons-y, Dylan. A bientôt
> –dit Kevin.

Solange se lève et fait la bise à Kevin. Kevin
est un peu nerveux et son visage heurte le visage
de Solange.

> – Aïe ! –dit Solange.

> – Pardon –dit Kevin.

> – C'est bien –rit Solange.

Alphonse rit aussi, et Kevin n'aime pas ça du
tout[4].

> – Embrasse ta maman pour moi, Kevin –dit
> Alphonse avec sarcasme.

Kevin ne répond pas. Un peu nerveux, Kevin
sort du café avec Dylan. Kevin pense: «Je dois téléphoner à ma mère ? A ma MERE ? Ça, c'est mon
excuse pour partir ? Je suis stupide ! Idiot !»

Kevin entend Biiiiiiiiiiiip ! Un taxi l'a presque

---

[4]*du tout - at all*

renversé[5] dans la rue parce qu'il ne regardait pas où il marchait.

> – Kevin ! Regarde où tu marches, mon
> vieux ! –lui crie Dylan.

Kevin voit Alphonse à l'intérieur du café. Alphone le regarde et il rit.

Statut: Kevin Fowler a failli mourir[6] parce qu'il est stupide. Mais il est content parce qu'il a parlé avec une fille fantastique !

[5]*l'a presque renversé - almost ran him over*
[6]*a failli mourir - (he) almost died*

Chapitre 5
Un livre intéressant

Kevin a une classe à l'université. Kevin a une classe avec Solange, Alphonse et Dylan. C'est une classe d'histoire de la littérature.

Kevin ne comprend pas bien son professeur. Quand il parle, c'est très différent que son prof de français au Michigan. Solange et Alphonse écoutent avec attention et écrivent des notes. Dylan dort et il n'écoute pas. C'est normal pour Dylan. Il ne dort pas beaucoup la nuit, mais il dort[1] pendant

[1] *il dort - he sleeps*

ses cours. Ses amis disent que c'est un vampire parce qu'il dort beaucoup pendant la journée et il ne dort presque pas pendant la nuit.

Le professeur parle de l'histoire de Lyon. Il y a beaucoup d'histoire à Lyon. C'est une ville très vieille. Il y a la Basilique Notre-Dame de Fourvières, une arène médiévale, les Théâtres Romains et beaucoup de parcs et de restaurants qui célèbrent la gastronomie célèbre de Lyon.

Le professeur parle et Alphonse répond à toutes les questions. Le professeur sourit et dit: «Alphonse, tu es un étudiant incroyable!». Alphonse sourit avec satisfaction et regarde Kevin. Kevin pense: *«Alphonse pense qu'il est vraiment supérieur ! Quel imbécile!»*.

Le professeur pose une question à Kevin et Kevin ne comprend pas. Kevin regarde Dylan, mais Dylan dort. Kevin ne dort pas, mais ça ne fait rien, il ne sait rien. Il ne comprend rien. Le professeur rit et dit: «S'il te plaît, Alphonse, aide Kevin». Alphonse répond et regarde Kevin avec triomphe.

A la fin du cours, Kevin marche vers Dylan. Dylan se lève et dit:

– Quelle bonne sieste[2]!

Kevin lui répond:

– Eh bien, j'ai besoin d'une sieste. Je ne
dors pas en classe, mais ça ne fait rien.
Je ne comprends rien à ce cours. Mais tu
dors et le professeur ne te parle pas !

Kevin veut parler avec Solange, mais ce n'est
pas possible. Elle quitte la classe avec Alphonse.
Kevin pense que probablement elle veut être la
copine d'Alphonse. Alphonse est beau, intelligent
et parfait. Kevin est stupide, il a le nez rouge, il ne
comprend rien, et il fait beaucoup de fautes. Au
Michigan, la vie est parfaite, mais maintenant en
France, tout est mauvais.

A la fin de la journée Kevin et Dylan quittent
l'école et se promènent Place des Terreaux. Les
garçons explorent le quartier[3]. Il y a beaucoup de
boutiques, de cafés, et de musique ! C'est très intéressant. Kevin voit un livre qui parle beaucoup de
l'histoire médiévale de Lyon. Ça l' intéresse beaucoup parce qu'il pense à la maison médiévale de

[2]*sieste - nap*
[3]*quartier - neighborhood*

Marie-Louise. Il veut en savoir plus. Dylan envoie un texto à Lucas. Dylan ne s'intéresse pas aux livres. En quelques minutes Lucas arrive avec sa planche à roulettes. Dylan a sa planche à roulettes et ils partent pour le parc à planches à roulettes.

Mais Kevin ne va pas au parc de planche à roulettes. Kevin achète le livre et il va sur la place.

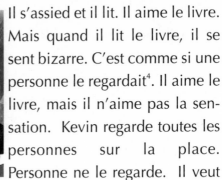

Il s'assied et il lit. Il aime le livre. Mais quand il lit le livre, il se sent bizarre. C'est comme si une personne le regardait[4]. Il aime le livre, mais il n'aime pas la sensation. Kevin regarde toutes les personnes sur la place. Personne ne le regarde. Il veut lire le livre à la maison. Il quitte la place et il rentre à la maison.

Statut: Kevin Fowler ne dort pas dans la classe (comme Dylan), mais il ne comprend rien.

---

[4]*c'est comme si une personne le regardait - as if a person were watching him*

Chapitre 6
Une nuit de musique

Kevin va à l'université tous les jours. Dans ses cours, il comprend mieux maintenant. Dylan ne comprend pas beaucoup parce qu'il dort beaucoup dans les cours. Kevin est bon étudiant, il ne dort pas pendant les cours, et maintenant il comprend un peu mieux.

A la maison, tout est un peu bizarre. Marie-Louise prépare de la bonne nourriture. Kevin ne sait pas ce qu'il mange. Il ne veut pas savoir si la nourriture est du supermarché ou si elle est ramenée[1] par un faucon. Alphonse ne lui parle pas

[1]ramenée - brought back

beaucoup. C'est un garçon très bizarre.

Alphonse parle beaucoup à Solange pendant les cours, mais il ne parle pas avec Kevin. Solange parle avec Kevin quand Alphonse n'est pas là. Kevin veut être l'ami de Solange. Peut-il être plus qu'un ami ?

La nuit, Kevin voit qu'Alphonse ne dort pas beaucoup. Alphonse quitte la maison chaque soir. Kevin est curieux, mais il ne veut pas parler avec Alphonse. *«Où va-t-il ? Va-t-il attraper des faucons ?»*.

Une nuit, fin juin, Kevin ne dort pas, il lit le livre. Kevin entend la porte, criiiic!, il regarde par la fenêtre et il voit qu'Alphonse quitte la maison. Alphonse marche dans la rue. Il a le faucon avec lui.

Kevin décide d'enquêter. Kevin veut savoir où va Alphonse chaque soir. Probablement il ne va pas à la discothèque, parce qu'il marche avec un faucon. Kevin marche dans la rue. Il marche à distance d'Alphonse. Il ne veut pas qu'Alphonse le voie[2].

Alphonse entre dans une autre maison. C'est une maison médiévale. Kevin entend de la musique dans la maison. C'est de la musique folklorique et médiévale. Silencieusement, Kevin marche vers la fenêtre de la maison. Il regarde par la fenêtre. Kevin voit qu'il y a beaucoup de monde dans la maison. Il y a une femme qui chante et qui danse. Il y a un homme qui joue de la guitare. Solange est dans la maison aussi. Solange sourit et écoute la musique. Alphonse est avec Solange mais il ne sourit pas. Il a le faucon dans la main. Le faucon et Alphonse sont très bizarres. Kevin ne comprend pas pourquoi Solange est l'amie d'Alphonse.

Alphonse regarde dans la direction de la fenêtre et il voit Kevin. Kevin voit que les yeux d'Alphonse sont noirs et qu'ils sont fâchés. Alphonse a l'air fâché[3] aussi.

À cet instant, Kevin a un problème. Il a un problème avec sa tête. Sa tête fait très mal. Kevin ne

[2]*Il ne veut pas qu'Alphonse le voie - he doesn't want Alphonse to see him*

[3]*a l'air fâché - seems angry*

peut pas voir[4]. Tout est noir. Au bout d'un moment, ses yeux vont bien et il regarde par la fenêtre encore une fois.

Alphonse sourit. Solange écoute la musique. Elle regarde la femme qui chante et qui danse et elle regarde l'homme qui joue de la guitare. À ce moment-là Kevin a très peur. Il veut courir et s'échapper[5]. Alphonse est bizarre. Kevin pense qu'Alphonse a causé le problème avec sa tête et ses yeux. Maintenant, Kevin regarde le faucon d'Alphonse. Kevin regarde les yeux du faucon. Les yeux du faucon sont noirs et ils sont fâchés. Les yeux d'Alphonse sont semblables[6] aux yeux du faucon. Le faucon est bizarre. *« Le faucon est-il mauvais ? »*. Le faucon regarde Kevin. Kevin veut courir. Il n'aime pas Alphonse. Il n'aime pas le faucon bizarre. Il n'aime pas la musique. Rapidement, le faucon s'échappe de la main

[4]*ne peut pas voir - can't see*
[5]*s'échapper - to escape*
[6]*semblables - similar*

34

d'Alphonse et il va vers la fenêtre. Encore une fois, Kevin ne peut pas voir et sa tête lui fait mal. Kevin veut courir mais il ne peut pas. Il est paralysé. En un instant, Kevin est inconscient par terre. Il pense qu'il entend la voix d'Alphonse. Dans l'imagination de Kevin, Alphonse dit: « *Je vais te tuer[7]* ». Est-ce que c'est son imagination, ou est-ce que c'est la réalité ?

Kevin ouvre les yeux. Ce n'est pas la nuit, c'est le jour. Kevin regarde vers la rue, et il regarde vers la maison. Ce n'est pas la maison avec la musique. Kevin est devant la maison de Marie-Louise. Il touche son nez. Il regarde sa main et il voit du sang. Il a du sang sur la main et il y a du sang dans la rue. Kevin se lève. Il ne veut pas entrer dans la maison. Il ne sait pas si Alphonse est dans la maison. Kevin regarde par la fenêtre et il ne voit ni Alphonse ni Marie-Louise. Silencieusement, Kevin entre dans la maison. Très fatigué, il marche vers sa chambre. Il est très perturbé.

Statut: Kevin Fowler pense qu'il est dans un film d'horreur.

[7]*Je vais te tuer - I am going to kill you*

Chapitre 7
Les trois jolies princesses

Kevin va dans sa chambre et il dort. Il ne veut pas sortir de sa chambre parce qu'il ne veut pas voir Alphonse. Finalement, quand il descend, il voit Marie-Louise, mais Alphonse n'est pas là. Marie-Louise ne mentionne pas l'état du visage de Kevin. Kevin sait que sa figure a l'air terrible. *«Qui… ou quoi… l'a attaqué?»*.

Kevin quitte la maison et passe beaucoup de temps avec Dylan. Il ne veut pas être dans la maison quand Alphonse arrive. Alphonse ne vient pas en cours. Solange parle avec Kevin mais elle ne parle pas d'Alphonse.

La nuit, Kevin dort, mais il ne dort pas bien. La nuit, Kevin imagine qu'Alphonse entre dans la maison et le tue. Kevin imagine qu'il entend: «Je vais te tuer». C'est seulement son imagination ?

Quand Kevin se promène dans la rue, il imagine qu'il voit Alphonse et le faucon. Mais en réalité, Alphonse n'est pas là. Alphonse a disparu.

Kevin n'a pas vu Alphonse depuis trois jours. Aujourd'hui c'est samedi. Marie-Louise ne parle pas d'Alphonse. C'est une situation très bizarre. Un jour, Kevin ouvre le frigo pour attraper un coca. Il y a trois bouteilles dans le frigo. Dans les bouteilles il y a un liquide rouge. Kevin voit une des bouteilles et lit SANG. Kevin a envie de vomir. Pourquoi est-ce qu'il y a des bouteilles de sang dans le frigo ? Cette famille est folle. Kevin met la bouteille dans le frigo et Marie-Louise entre.

– Bonjour, Kevin.

– Bonjour, madame.

– Kevin, je vais préparer un repas très bon aujourd'hui. Tu vois les bouteilles dans le frigo ?

Kevin ne veut pas répondre. Cette femme est folle. Mais il répond:

– Oui, j'ai vu les bouteilles.

Marie-Louise continue:

– C'est du sang.

– DU SANG HUMAIN!? –Kevin crie.

Marie-Louise rit et dit:

– Non, mon garçon, c'est le sang d'un animal. Je vais préparer le boudin[1]. C'est
une spécialité française. C'est délicieux.

– Ah, délicieux. Bon…, je vais dans ma
chambre…, je vais lire mon
livre –répond Kevin.

Dégoûté, Kevin va dans sa chambre.

Statut: Kevin Fowler pense que ce n'est pas normal de préparer la nourriture avec le sang.

Il prend son livre et il lit. Il ne lit pas rapidement parce que le livre est en français, mais il le
comprend.

[1]*boudin - blood sausage*

La légende des trois jolies princesses

«Un roi veut une épouse². Il a consulté une astrologue. L'astrologue lui a dit qu'il va avoir une épouse bientôt. Un jour, le roi a vu beaucoup de prisonniers qui se promenaient. Un des prisonniers est une fille qui est très jolie. Quand le roi voit la fille, il sait qu'elle est parfaite pour être la reine, son épouse.

La fille ne veut pas être l'épouse du roi, mais elle n'a pas d'autre choix. Elle ne peut pas lui dire «non». Elle est prisonnière. C'est mieux d'être reine que prisonnière. La jolie reine a trois jolies filles, triplées identiques. Elles s'appellent Angélique, Ange, et Angéline. Le roi veut un garçon, mais il a seulement trois filles.

Quand la reine a les triplées, elle meurt. Le roi consulte une astrologue. L'astrologue lui dit: "Votre Majesté, ces filles sont très jolies. Pour un papa, les jolies filles causent beaucoup de problèmes. Et trois jolies filles causent encore plus de problèmes. Maintenant il n'y a pas de problèmes, mais quand elles auront quinze ans, il faudra les

²*épouse - spouse*

39

surveiller[3] plus".

Quand les triplées ont quinze ans, le roi et les trois filles quittent leur maison et ils vont à la basilique à Fourvière. Il ne permet pas aux personnes, et particulièrement les hommes, de regarder les filles. Si un homme regarde une des filles, il est condamné à mort[4]. Les trois filles et leur père vont à la basilique de Lyon où il y a une tour avec un appartement royal– comme un palais.

Un jour, le groupe voit des soldats[5]. Les soldats ont des prisonniers. Dans le groupe de prisonniers, il y a trois garçons. Ils sont triplés identiques. Ils ont dix-sept ans et ils sont très beaux.

Le roi est furieux parce que les soldats et les prisonniers regardent ses filles. Le roi veut les tuer avec son épée. Il lève l'épée, mais les trois princesses crient: "Papa, NON ! Ne tue pas les garçons!". Dans la confusion, les trois filles montrent leurs visages. Les trois

[3]*surveiller - to look after, watch*
[4]*à mort - to death*
[5]*soldats - soldiers*

garçons les regardent et immédiatement les garçons tombent amoureux[6] des filles. Le roi regarde les visages tristes de ses filles. Il ne tue pas les soldats et il ne tue pas les prisonniers. Un capitaine parle avec le roi et lui dit: "Votre Majesté, ce n'est pas une bonne idée de tuer les prisonniers. Ils sont les fils d'un homme lyonnais très important. Leur père est très important et il a BEAUCOUP d'argent[7]. Peut-être Votre Majesté peut gagner beaucoup d'argent avec les garçons".

Le roi pense un moment: "Bien. Je ne tue pas les garçons. Mais ils ne peuvent pas regarder ou parler avec mes filles. Les garçons doivent travailler beaucoup pour moi. Ils peuvent travailler dans mes jardins".

Le roi et ses filles restent dans la tour de la basilique, où les filles habitent seules. Elles passent plusieurs jours sans voir personne. Elles voient seulement la domestique, une vieille femme qui était la domestique de leur maman. Les filles ont un joli appartement , de jolis vêtements, des animaux, des fleurs et de la bonne nourriture. Mais les filles sont très tristes et s'ennuient parce qu'il n'y a pas d'autres personnes. Les

[6]*tombent amoureux - fall in love*
[7]*d'argent - of money*

filles veulent voir les beaux garçons, les prisonniers, mais elles ne savent pas où ils sont.

Un jour, les filles disent à la vieille domestique: "S'il te plaît, nous avons besoin de musique. Nous nous ennuyons".

La vieille domestique sait que les trois beaux garçons travaillent dans un jardin, chantent et jouent de la guitare. La vieille femme répond: "Les trois garçons travaillent dans un jardin ici. Leur musique est incroyable. Les chansons sont très romantiques".

Les trois filles pensent aux trois garçons et leurs cœurs chantent: "bidi bidi boum boum". Une des princesses, Angélique, dit: "S'il te plaît, pouvons-nous écouter la musique des garçons?".

La vieille femme a peur du roi, mais elle veut que les trois filles soient contentes. La vieille femme va voir le garde des prisonniers et lui donne de l'argent. Le garde permet aux garçons de travailler dans un autre jardin sous la fenêtre des princesses.

Quand les garçons sont sous la fenêtre, ils chantent et ils jouent de la guitare. Ils regardent les filles à la fenêtre. Pendant trois jours, les garçons chantent et ils jouent de la musique romantique aux princesses, mais les princesses sont prisonnières dans une tour de la basilique».

~~~

Avec les images des princesses, les garçons prisonniers, le roi et la basilique dans la tête, Kevin met le livre par terre et s'endort.

Chapitre 8
Veux-tu danser ?

Kevin dort très bien quand il entend «Driing, driing». C'est son portable. Dylan envoie un texto à Kevin. «C'est SAMEDI ! "La Romaine"? Jolies filles ! A 22h».

"La Romaine" est une discothèque. Dylan et Lucas vont beaucoup danser à "La Romaine". Dylan parle beaucoup de toutes les filles qui veulent danser avec lui. Dylan est un homme américain très romantique. "La Romaine " est une discothèque très intéressante parce qu'on peut s'asseoir à une terrasse pour regarder La Basilique Notre-Dame de Fourvière illuminée la nuit. C'est impressionnant.

A 21h50 Kevin dit «au revoir» à Marie-Louise. Heureusement Marie-Louise ne lui offre pas de boudin. Il quitte la maison et va vers la discothèque.

Kevin entre dans la discothèque. Il ne voit ni Dylan ni Lucas. Il n'y a pas beaucoup de personnes dans la discothèque parce qu'il c'est 22h. Les personnes arrivent à 23h ou à minuit. Kevin s'assied à une table. A 23h Kevin voit une fille avec des cheveux noirs. Elle danse avec un groupe de filles. C'est Solange ! Kevin décide d'inviter Solange à danser.

– Salut, ma belle !

– Kevin ! Salut ! Tu es ici avec Alphonse ?

– Non, je n'ai pas vu Alphonse depuis plusieurs jours. Alphonse et moi, nous ne sommes pas exactement de bons amis. Je pense qu'Alphonse veut me tuer –répond Kevin.

– Kevin ! Tu n'es pas sérieux ! Alphonse ?

C'est un gentil garçon !

Kevin ne veut plus parler d'Alphonse.

   – Veux-tu danser avec moi ? –il demande à
    Solange.

   – Oui ! J'aime bien la musique. Dansons.

Kevin et Solange dansent pendant quarante
minutes. Dylan envoie un texto à Kevin: «Où es-
tu?». Kevin ne répond pas au message. Il ne s'intéresse pas à Dylan maintenant. Il est avec Solange,
ils dansent, et Alphonse, l'idiot, n'est pas là.

Solange dit:

   – Kevin, allons sur la terrasse[1]. On peut
    voir la basilique. Elle est très belle le soir.

Ils vont sur la terrasse. La basilique est très
belle. Kevin dit:

   – Je lis un livre maintenant sur Lyon et ses
    légendes. Une légende parle de trois
    princesses qui habitent dans une tour de
    la basilique.

Solange ne regarde pas Kevin. Elle regarde par
terre et elle répond:

   – C'est seulement un conte.

[1]terrasse - terrace; outdoor sitting at a restaurant or café

Solange ne parle plus. Elle regarde seulement la basilique. Elle paraît triste à ce moment et Kevin ne comprend pas pourquoi.

Solange dit:

> – Pardon, Kevin, mais je rentre chez moi maintenant. On se voit[2] à l'université. Au revoir.

Kevin pense que c'est un peu bizarre. Il est 1h. Les personnes normalement rentrent chez elles à 5h ou 6h du matin. Est-elle vexée ? Kevin pense à Tanya. Peut-être que Kevin vexe toutes les filles ? Est-il un idiot qui ne sait pas comment parler aux filles ?

Kevin quitte la discothèque et va à la maison. Il est fatigué mais il ne veut pas dormir. Il prend son livre et il lit encore:

Un jour les trois princesses vont à la fenêtre pour regarder les garçons et écouter la musique romantique. Les garçons ne sont pas sous la fenêtre comme d'habitude. Les

[2]*on se voit - We'll see each other (See you later)*

filles courent vers la vieille femme et lui demandent où sont les garçons avec les guitares. La femme leur dit: "Leur père est arrivé avec beaucoup d'argent pour le roi. Le roi a accepté l'argent et a donné[3] les garçons à leur père. Maintenant les garçons vont chez eux".

Les princesses sont très tristes. Elles vont dans leur chambre et elle pleurent. Elles pleurent pendant trois jours. Elles parlent avec la vieille femme. Elle leur dit qu'il y a une possibilité. Les trois garçons ont offert de l'argent au garde. Avec l'argent les filles peuvent s'échapper de la basilique et épouser les garçons.

Les princesses sont très contentes. Elles veulent s'échapper de la tour de la basilique. C'est un joli palais élégant, mais c'est une prison pour les trois filles.

La nuit pour s'échapper arrive. Les princesses s'en vont en courant de la basilique. Mais une des princesses, Angélique, ne s'échappe pas parce qu'elle a trop peur. Ange et Angéline s'échappent pour avoir une vie heureuse, mais la pauvre Angélique meurt[4] dans la basilique, triste et seule.

[3] *a donné - (he) gave*
[4] *meurt - (she) dies*

Chapitre 9
Une nuit mystérieuse

Lundi, Kevin va à l'université. Il parle avec Dylan et Lucas et leur demande:

– Où étiez-vous samedi ?

– Nous dansions à la discothèque "Dix". Nous avons décidé que nous ne voulions pas danser à "La Romaine" –répond Dylan.

– Eh bien, j'ai dansé avec Solange.

– Mon vieux ! –crie Dylan–. Tu es le

meilleur ! L'as-tu embrassée[1] ?

– Non.

– Tu ne l'as pas embrassée ? Pourquoi ? Tu avais peur ?

– Non, imbécile, je n'avais pas peur ! –crie Kevin frustré.

– Alphonse était à la discothèque ?

– Non. C'était bizarre –explique Kevin–. Elle et moi, nous avons dansé, et tout était très bien. Mais quand je lui ai parlé d'un livre, elle ne voulait plus parler. Elle est rentrée chez elle.

Dylan pense un moment et dit:

– A mon avis, les livres sont ennuyeux. C'est possible qu'elle sache[2] maintenant que tu es un homme ennuyeux.

Kevin n'aime pas l'opinion de Dylan, mais «est-ce que c'est possible que Dylan ait raison[3] ?».

******

[1]*l'as-tu embrassée ? - Did you kiss her?*
[2]*sache - know, find out*
[3]*que Dylan ait raison - that Dylan may be right*

Le soir, Dylan et Lucas vont encore à la discothèque. Ils invitent Kevin, mais Kevin ne veut pas danser. Il est de mauvaise humeur.

Kevin va dans sa chambre parce qu'il ne veut pas parler à Marie-Louise. Il s'assied sur le lit et il ouvre son MacBook. Il regarde sur Facebook et voit que Tanya a un nouveau copain maintenant. Quand il lit ça, il est vraiment de mauvaise humeur.

A minuit, Kevin surfe sur Internet quand il entend la porte. Criiiiic ! C'est Alphonse ? Kevin ne veut plus de problèmes avec Alphonse, mais quand même il est très curieux. Il décide de sortir pour enquêter.

Kevin sort silencieusement. «Criiiiic !» Il voit qu'Alphonse marche dans la rue dans la direction de la discothèque "La Romaine". Peut-être qu' il va danser avec Solange. Kevin pense: *«Je suis stupide. Je suis idiot. Solange ne me veut pas. Elle veut un garçon comme Alphonse. Il est plus beau que moi. Et plus intelligent»*.

Alphonse n'entre pas dans "La Romaine". Il marche dans la direction de la basilique. Kevin voit la basilique. Kevin pense à la pauvre Angélique.

Quand Alphonse arrive à la basilique, Kevin voit qu'il y a une fille à une fenêtre de la basilique. C'est Solange ! Solange est dans la basilique. Mais, comment est-ce possible ? On ne permet pas aux personnes d'entrer dans la basilique le soir. Le faucon d'Alphonse est dans la fenêtre avec Solange. Que c'est bizarre !

Alphonse n'entre pas dans la basilique. Il regarde Solange, qui est à la fenêtre, et il sourit. Après un instant, Alphonse lève la main et le faucon arrive vers lui. Alphonse prend une rose dans le jardin, donne la rose au faucon et le faucon va à la fenêtre. Le faucon se pose avec Solange et lui donne la rose. Kevin voit que les vêtements de Solange sont différents. Ce sont des vêtements anciens. Qu'est-ce qui se passe ? C'est une situation folle ! Pourquoi est-ce que Solange est dans la basilique le soir dans des vêtements anciens ?

Pourquoi est-ce qu'Alphonse lui donne une rose ?
Mais la situation devient encore plus bizarre[4].

Alphonse chante ! Il chante une chanson
romantique pour Solange. Maintenant Solange a le
visage très triste. Kevin voit que Solange pleure et
il pense: *«Pourquoi Solange pleure-t-elle ?
Pourquoi est-ce qu'elle ne sort pas de là ?»*.

Kevin veut aider Solange, mais au bout d'un
instant ses yeux rencontrent deux yeux fâchés. Les
yeux de Kevin regardent les yeux du faucon
d'Alphonse. Kevin ressent une terreur inexplicable. Le faucon crie et Kevin ne peut ni parler ni
bouger.

Maintenant Alphonse ne chante plus. Il regarde Kevin et ses yeux sont plus noirs que la nuit. À
cet instant, sa tête lui fait mal et Kevin sent une
présence mystérieuse près de lui dans le jardin.

---

[4]*devient encore plus bizarre – becomes even more strange*

Chapitre 10
Les deux Solanges

Kevin est dans le jardin et il est paralysé de peur. Il est seul, mais il ne se sent pas seul. Kevin regarde les roses et écoute intensément. Qui est dans le jardin ? Tout à coup[1] Kevin sent une douleur très forte dans la tête. Il dit d'une voix désespérée: *«Aïe..., aidez-moi...»*. Kevin entend un son bizarre et fait attention. Le jardin de roses se change en jardin de mort. Maintenant les roses sont noires, elles sont mortes. Il y a un liquide rouge qui sort des roses. *«Est-ce que c'est du sang ?»*

[1]*tout à coup - suddenly*

La situation est intolérable et Kevin est terrorisé ! Les roses attrapent Kevin. La situation est terrible. Les roses font du bruit, des bruits de serpents: «sssssss». Maintenant les roses se changent en serpents et attrapent Kevin très fort. Kevin crie.

Une fille crie aussi. Kevin regarde la fille. Ce n'est pas la Solange de la fenêtre de la basilique. C'est Solange, mais l'autre Solange est devant elle ! Elle n'a pas de vêtements anciens. Elle a des vêtements modernes. Kevin regarde les deux Solange. Il a très peur et il est très perturbé.

La Solange "moderne" crie:

    – Alphonse, non !

    – Je vais le tuer.

    – Non !

    – Je n'ai pas le choix. Il connaît mes
      secrets.

Solange est désespérée et elle crie à Alphonse:

— Non, Alphonse. Kevin est innocent. Ne
   tue pas un garçon innocent. Mon père ne
   t'a pas tué et tu ne peux pas tuer Kevin.

Kevin pense: *«Le père de Solange ? Tuer
Alphonse ? Je suis dans une situation folle».*

Alphonse est fou et il attrape Kevin. Il l'attrape
par le cou[2] et le regarde intensément. Kevin ne
peut pas respirer[3] et Alphonse sourit. Solange crie.

— Non ! Si tu tues Kevin, tu sais que tu vas
   continuer à tuer. Tuer est une addiction
   pour nous. Ne le fais pas[4] !

Kevin est terrorisé. Il crie:

— Aidez-moi ! Police ! Un fou veut me
   tuer !

La Solange qui est dans la basilique crie maintenant:

— Alphonse ! S'il te plaît, ne tue pas le garçon. Tuer le garçon ne va pas résoudre
   nos problèmes.

[2]*cou - neck*
[3]*respirer - breathe*
[4]*ne le fais pas - do not do it*

Alphonse regarde la fille. La Solange "moderne" dit:

– Allons-y, Kevin.

Solange attrape la main de Kevin et tous les deux courent. Alphonse ne les regarde pas et il ne court pas. Alphonse regarde la fille qui est dans la basilique. Il regarde la fille comme s'il était dans une transe hypnotique. Solange et Kevin courent vers un petit parc et ils s'asseyent.

Solange lui prend la main et dit à Kevin:

– C'est bien Kevin. Alphonse doit se calmer.

La situation est incroyablement bizarre, mais Kevin aime quand Solange lui prend la main.

– Solange, Quoi… ? Comment… ? Je ne comprends pas… –Kevin est très perturbé et frustré. Il ne sait pas quoi demander. Il a besoin d'une explication.

– Kevin, c'est un conte incroyable. La légende de ton livre… ce n'est pas une légende. C'est l'histoire de ma famille. La fille de la basilique…

Kevin l'interrompt:

– Oui ! La fille de la basilique ! C'est toi !

Kevin pense pendant un moment.

–Tu ne t'appelles pas Solange ! Tu t'appelles Ange !

– Exactement. Maintenant je suis seule, alors je suis "la seule Ange"...donc, le nom moderne Solange.

– Mais je ne comprends pas –la légende est un conte du passé.

– Très bien, Kevin ! –Solange exclame–. Tu connais le conte de la basilique. J'ai six cent-vingt-deux (622) ans.

– Ce n'est pas possible !

– Kevin, écoute-moi. –Solange parle avec beaucoup de patience–. Ma sœur Angélique est la fille de la basilique. Elle ne s'est pas échappée avec Angéline et moi. Elle avait très peur de sortir par la fenêtre et elle n'est pas sortie. Elle est morte maintenant. Elle ne pouvait pas vivre si triste. Ma sœur est un esprit. Elle ne peut pas s'échapper de la basilique. Mon père, le roi, ne lui permet pas de s'échapper.

Kevin devient triste quand il écoute Solange.

–Ta sœur est morte ?

– Oui. Ma sœur ne s'est pas échappée. Elle est morte parce qu'elle est très triste. Quand mon père a vu ma sœur morte, il s'est tué. Maintenant, les esprits de ma sœur et de mon père sont dans la basilique pour toujours. Mon père a emprisonné ma sœur.

– Et toi ? Tu es morte ? Tu es un esprit ? –demande Kevin.

– Pas exactement. Alphonse et moi, nous sommes immortels. Nous ne sommes ni morts ni vivants. Quand Alphonse et moi, nous nous sommes échappés de la basilique, des soldats de mon père ont attaqué notre groupe. Un soldat m'a attaquée avec son épée et a attaqué Alphonse. Nous avons perdu beaucoup de sang et nous étions presque morts. Nous étions sérieusement blessés[5]. Ils ont

---

[5]*blessés - injured*

tué mon copain Alexandre, le frère
d'Alphonse. Une vieille femme nous a
aidés. Nous sommes allés avec elle à
Vieux-Lyon et dans sa maison, elle nous
a sauvés. Elle n'est pas docteur, mais elle
nous a aidés avec une potion. Elle nous a
changés en immortels. Nous ne pouvons
pas mourir, et nous ne pouvons pas
vivre.

– Et où est ton autre sœur et l'autre frère
d'Alphonse ? –demande Kevin.

– Angéline et Alfred ? C'est un conte
joyeux. Ils ont sauvé leurs vies[6]. Ils
étaient très heureux et ils sont morts
vieux avec six enfants.

Kevin voit que maintenant Solange et lui sont
devant la maison de Marie-Louise. Il regarde son
portable et il voit qu'il est cinq heures du matin.
Kevin lui demande:

– C'est un conte incroyable. Pouvons-nous
parler plus ?

– Maintenant, non. Alphonse a besoin de

[6]*Ils ont sauvé leurs vies - they saved their own lives*

moi. Je dois le consoler. Il ne peut pas accepter qu' Angélique soit emprison-née[7]. C'est une situation difficile, comme tu peux l'imaginer. On va se parler un autre jour. Bonsoir, Kevin. Tu es un garçon incroyable.

Solange embrasse Kevin sur le visage. Kevin se touche le visage. Il pense que Solange est incroyable elle aussi. Elle est la fille parfaite…, mais Kevin ne sait pas s'il peut avoir un futur avec une fille immortelle. Ce qu'il sait... c'est qu'il veut la voir encore.

Statut: Kevin Fowler doit certainement voir un psychiatre. Il est complètement fou.

[7]*soit emprisonnée - that she is imprisonned*

Chapitre 11
La dernière nuit

Le jour suivant, Kevin et Dylan entrent dans la classe d'histoire de la littérature historique. Ils ne voient pas Alphonse, et ils ne voient pas Solange. Kevin explique la situation à Dylan, mais Dylan pense que Kevin est fou.

Alphonse ne vient pas à la maison. Kevin décide de parler à Marie-Louise.

– Madame ?

– Oui, Kevin, assieds-toi. Tu veux manger ?

– Non, merci, je n'ai pas faim. J'ai une

question.

Marie-Louise sourit et lui répond.

> – Oui, dis-moi.
> – Etes-vous la femme qui a aidé Solange et Alphonse quand les soldats les ont atta- qués ?

Marie-Louise est surprise.

> – Comment sais-tu cette histoire ?
> – Solange m'a expliqué l'histoire un soir. Mais maintenant Solange ne vient pas en classe et Alphonse ne rentre pas à la maison.
> – Non, Alphonse ne vient pas à la maison maintenant. Mais un jour…

Marie-Louise regarde par la fenêtre.

> – Marie-Louise ? –demande Kevin– As-tu aidé Alphonse et Solange ?

Marie-Louise semble perturbée.

> – Qui sont Solange et Alphonse ? –répond elle.

C'est évident que Marie-Louise ne veut pas répondre, ou qu'elle est complètement folle. Kevin ne lui demande plus rien.

Pour le reste du semestre, Solange ne vient pas en classe, Alphonse n'est pas dans la maison, et Marie-Louise ne mentionne plus Alphonse.

La fin du semestre arrive et Kevin et Dylan doivent repartir pour le Michigan. Le dernier soir, Kevin est dans sa chambre, et fait sa valise. Il regarde son livre. Maintenant c'est un livre très spécial. Kevin regarde encore le livre. Il regarde La légende des trois princesses. Dans le livre, il y a les pétales d'une rose. Il prend les pétales et il voit qu'il y a une petite note dans le livre. La note dit:

«Kevin, tu es parfait. Un jour tu vas capturer le cœur d'une princesse. Ton amie pour l'éternité, S.».

Statut: Kevin Fowler a une vie très intéressante.

Glossaire

20h - 8PM

21h50 - 9:30PM

20h - 8PM

21h50 - 9:30PM

a - has

à - to, at

achète - buys, is buying

admirent - they admire

adulte - adult

âgée - aged

agréable - agreeable, pleasant

ai - I have

aide - helps

aidé - helped

aider - to help

aidez - you helped

aïe - ouch! Yikes!

aime - likes

ait - has

allé - went

aller - to go

allô - hi (on phone)

allons - (we) go

allons y - (we) go (to a particular place)

alors - so, then

ami - friend

amis - friends

amour - love

amoureux - lovers, in love

anciens - former

ange - angel

animaux - animals

ans - years

août - August

après - after

arène - arena

argent - money

arrive - arrives

arrive - arrived

arrivent - they arrive

as - (you) have

assez - enough

assieds - (you) sit down

astrologue - astrologer

attaque - attack

attaqué - attacked

attrape - catches

attrapé - caught

attraper - to catch
au - to (à le combination)
aucun - no (with noun)
aujourd'hui - today
auront - they would have
aussi - also, too
autre - other
autres - others
aux - to (à les combination)
avais - had
avait - he/she/it had
avec - with
avis - advice, opinion
avoir - to have
avons - (we) have
avril - April
baguette - long thin loaf of French bread
balle - ball
basilique - basilica
beau - handsome, beautiful
beaucoup - a lot, many
belle - beautiful, handsome
besoin - need
bête - dumb, stupid
bien - good, well
bientôt - soon

biiiiiiiip - a ring on phone or electronic device
bip - signal on phone
bise - kiss (on cheek)
blanc - white
blanches - white (feminine plural)
blessés - injured
boire - to drink
boit - drinks
bon, bonne - good
bonjour - hello
bonsoir - good evening
boudin - blood sausage
bouger - to move
boule - ball
boum - boom
bout - end
bouteille - bottle
bruits - noises
c'est - it's
c'était - it was
ça - that, that's
causent - they cause
ce - this
célèbre - famous
célèbrent - they celebrate
célébrer - to celebrate

Glossaire

célibataire - single
cent - one hundred
certainement - certainly
ces - these, those
cet - this (before masc.
vowel word)
cette - this (feminine)
chamber - room
changent - they change
chanson - song
chante - sings
chantent - they sing
chapitre - chapitre
chaque - each
cheveux - hair
chez - at, in, to (a home or
business)
choix - choice
cinq - five
clic - noise for hanging up
phone
coca - cola drink
cœur - heart
comme - like, as
comment - how
complètement - completely
comprend - understands
condamné - condemned

connais - I, you know
connaît - knows
conte - story
content - happy
contre - against
copain - friend
copine - friend (female)
cou - neck
coule - drips, flows
coup - shot, hit
courageusement - bravely
courant - running
courent - they run
courir - to run
cours - I, you run
court - runs, is running
coutume - custom
crie - yells, screams
crient - they yell, scream
crier - to yell, scream
criiiiic - sound for door
creaking
croissant - crescent-shaped
roll
croque-monsieur - grilled
ham & cheese sand-
wich
curieux - curious

d'après - according to
d'où - from where
dame - lady
dans - in
dansé - danced
dansent - they dance
dansions - we had danced
de - from, of, out of
dégoûtant - disgusting
dégoûté - disgusted
déjà - already
dents - teeth
depuis - since
dernier - last
des - some, any
désastre - disaster
désespérée - desperate, hopeless
détruire - to destroy
deux - two
devant - in front of
devient - becomes
difficile - difficult
dire - to say, tell
directement - directly
dis - says
disent - they say
disparaît - disappears

disparu - disappeared
distance - distance
dit - says
dix - ten
dois - I/you should
doit - should
doivent - they should
domestique - domestic, servant
don - gift
donc - therefore
donne - gives
donné - gave
dormir - to sleep
dors - I/you sleep
dort - sleeps
douleur - pain, sorrow
driiing - sound of phone ringing
du - from, of (de le combination)
échappé - escaped
école - school
écoute - listens
écouter - to listen
écrit - writes
écrivent - they write
elle - she

elles - they (feminine)
embrasse - kisses, hugs
emmêlés - tangled up, mixed up
en - in
encore - again
enfants - children
ennuyeux - boring
ennuyons - we bore
enquêter - to investigate
entend - hears
entends - I/you hear
envie - envy, desire
envoie - sends
épée - sword
épouse - wife
épouser - to marry
es - (you) are
esprit - spirit
est - is
et - and
étaient - they were
était - was
états - states
êtes - you are
étiez - you were
étions - we were
être - to be

étudiant - student
étudie - studies
étudier - to study
eux - them
exactement - exactly
exclame - exclaims
explication - explanation
explique - explains
expliqué - explained
fâché - angry
failli - bankrupt
faim - hungry
faire - to do
fais - I/you do, make
fait - makes, does
familière - informal, friendly
famille - family
fatigué - tired
faucon - falcon
faudra - will need to do
fautes - faults, mistakes
femme - woman
fenêtre - window
fêtes - feasts, parties, holidays
feu - fire
figure - face
fille - girl

fils - son

fin - end

finalement - finally

fleurs - flowers

foie - liver

fois - time (as in one time, or two times one is two)

folle - crazy

font - they make or do

fort - strong

fou - crazy

français - French

frappe - hit

frère - brother

frigo - fridge

frustré - frustrated

furieux - furious, angry

gagner - to win, earn

garçon - boy, waiter

garde - keep

gentil - nice

grand - large, big

gras - fat, lard

habillé - dressed

habite - lives

habitent - they live

habiter - to live

hé - hey

heures - hours

heureuse - happy (feminine)

heureusement - happily

heureux - happy (masculine)

heurte - strikes, hits, collides

homme - man

huit - eight

humain - human

humeur - mood

humilier - to humiliate

ici - here

il - he

ils - they

immortel - immortal

impressionnant - impressive

inconscient - unconscious

incroyable - unbelievable

incroyablement - unbelievably

interrompant - interrupting

interrompt - interrupts

j'ai - I have

j'aime - I like, love

j'étais - I was

j'étudie - I study

j'habite - I live (in)

jardin - garden

je - I

jeune - young

joli - pretty

joue - plays

jouent - they play

jouer - to play

joueur - player

jour - day

journée - day (all day long)

joyeusement - joyously

joyeux - joyous, happy

juillet - July

juin - June

l'air - air, appearance

l'état - state

l'ami - friend

l'argent - money

l'attrape - catches him/her/it

l'autre - the other

l'avion - airplane

l'eau - water

l'ordinateur - computer

la - the

là - there

lapin - rabbit

laquelle - which one

le - the

leur - their

lève - lift

lire - to read

lis - I/you read

lit - reads

livre - book

lui - him, to him/her

lundi - Monday

Lyonnais - from Lyon

m'appelle - calls me

m'attaquer - attacks me

ma - my

madame - madame, Mrs.

main - hand

maintenant - now

mais - but

maison - house

mal - badly

maman - mama, mom

mange - eats

mangé - eaten

mangeons - (we) eat

manger - to eat

marchait - was walking

marche - walks

mari - husband

marie - wife

matin - morning
mauvais - bad
mec - guy
meilleur - better
même - same
merci - thank you
mère - mother
mes - my
met - place, put
mettons - (we put)
mettre - to place, put
meurt - dies
mieux - better
minuit - midnight
moche - ugly
moi - me
mois - month
mon - my
monde - world
monsieur - sir, Mr.
montent - they climb, go up
montons - (we) climb, go up
montrent - they show
mort - dead
mourir - to die
ne, n'...pas - doesn't
neuf - nine

nez - nose
ni..ni - neither...nor
noël - carol
noir - black
nom - name
nombreuses - many, numerous
non - no
nos - our
note - note, grade
notre - our
nourriture - nourishment, food
nous - we
nouveau - new
nouvel - new
nuit - night
numéro - number
offer - offers
on - we (familiar)
ont - (they) have
onze - eleven
or - gold
ordinateur - computer
ou - or
où - where
oui - yes
ouvre - opens

palais - palace

par - by

paraît - seems, appears

parce que - because

parfait - perfect

parfaitement - perfectly

parle - speaks

parlé - spoke

parler - to speak

part - leaves

partir - to leave

(ne) pas - not, doesn't

pauvre - poor

peine - sadness, sorrow

pendant - during, while

pense - thinks

perdu - lost

père - father

petit - little, small

peu - little (few)

peur - fear

peut - can

peuvent - (they) can

peux - I/you can

plaît - pleases

planche - board, plank

plat - dish (meal)

pleure - cries

pleurent - (they) cry

pleurer - to cry

plus - more

plusieurs - several

portable - portable, cell phone

porte - carries, door

pose - asks

pot - pot, jar

pour - for

pourquoi - why

pouvait - was able to, could

pouvons - (we) can

prend - takes

près - near

presque - nearly, almost

promenaient - (they) were walking

promène - walks, strolls

promener - to walk, stroll

que - that

quand - when

quarante - forty

quartier - neighborhood

quatre - four

quel - which, what

quelqu'un - someone

quelques - some

qui - who

quinze - fifteen

quitte - leave (a place)

quoi - what

raison - reason

ramenée - brought back

range - neat, in order

raquette - racket

reçu - received

regardais - (I/you) were watching, looking at

regardait - was watching, looking at

regardant - watching

regarde - watches

regarder - to watch, look at

reine - queen

remise - put back

rencontrent - (they) meet

rend - return

rendez-vous - meeting, date

renseignements - information

rentre - return

renversé - turn over

repartir - leave again

repas - meal

répond - answers

répondre - to answer

repose - rest, put back down

résoudre - resolve

respire - breathe

respirer - to breathe

resent - feels again

reste - stays

rêve - dream

rêverie - daydream

revoir (au revoir) - goodbye

rien - nothing

rient - (they) laugh

rit - laughs

roi - king

romain - Roman

rouge - red

rue - street

s'ennuient - is bored

s'aperçoit - notices

s'appelle - is named

s'asseoir - to sit down

s'asseyent - (they) sit down

s'assied - sits down

s'échappe - escapes, gets away

s'échapper - to escape, get away

s'endort - falls asleep

s'intéresse - is interested in

sa - his/her

sache - knows

sais - (I, you) know

sait - knows

salut - hi

samedi - Saturday

sang - blood

sans - without

sauvé - saved

savent - (they) know

savoir - to know

selon - according to

semblables - similar

semble - seems

sent - smells

sept - seven

sert - closes

ses - his, her

seul - alone, lone

seulement - only

si - if

sieste - nap

silencieusement - silently

sœur - sister

soient - (they) will be

soir - evening

soirée - evening (all evening long)

soit - will be

soldat - soldier

son - his, sound

sont - (they) are

sort - goes out

sortie - exit

sortir - to go out

sourit - smiles

sous - under

souvent - often

sportif - athletic

statut - status

(je) suis - (I) am

suivant - following, next

suivre - to follow

sur - on

sûr - sure, sour

surtout - especially

surveiller - watch over

t'appelles - your name is

ta - your

temps - time, weather

terrasse - terrace

terre - earth, land

terreaux - soil, loam

tête - head

texto - text message

toi - you

tombent - (they) fall

ton - your

toujours - always

tour - turn

tous - all (plural)

tout - all

transe - trance

travaillent - (they) work

travailler - to work

très - very

triste - sad

trois - three

trompes - (you) are mistaken

trop - too, too much

trouve - finds

tu - you

tue - kills

tué - killed

tuer - to kill

un - one

une - one (feminine)

unis - united

va - goes

vais - (I) go

valise - suitcase

vas - (you) go

vers - towards

verts - greens

vêtements - clothes

veulent - (they) want

veut - wants

veux - (you) want

vexée - upset

viande - meat

vie - life

vieille - old (feminine)

vient - comes

vieux - old (masculine)

ville - city

vingt - twenty

visage - face

vivants - living

vivre - to live

voie - road, way

voient - (they) see

voir - to see

vois - (I/you) see

voit - sees

voix - voice

vont - (they) go

votre - your

Glossaire

voulait - wanted
voulions - (we) wanted
vous - you
voyons - (we) see
vrai - true
vraiment - really, truly
vu - saw
y - there
yeux - eyes

Cognates

accepté - accepted

accepter - to accept

américain - American

appartement - apartment

atlantique - Atlantic

bizarre - bizarre, odd,
weird, strange

boutique - boutique, small
shop

café - café, coffee

calmer - to calm

capitaine - captain

capturer - to capture

cause - cause

change - change

chocolats - chocolates

classe - class

consoler - to console

consulte - consults

consulté - consulted

continue - continues

continuer - to continue

curiosité - curiosity

danse - dances

danser - to dance

décembre - December

décide - decides

délicieux - delicious

demande - asks for

demander - to ask for

détails - details

descend - go down (hill,
stairs, street)

détestable - detestable,
hateful

différent - different

diplôme - diplôma

direction - direction

discothèque - nightclub,
discotheque

divorcer - to divorce

divorcés - divorced

docteur - doctor

emprisonné - imprisoned

enchantée - delighted

énormes - huge, enormous

entre - enters

entrer - to enter

évident - obvious

excuse - excuses

explorent - they explore
fantastique - fantastic
film - film, movie
folklorique - folkloric
force - force
fruits - fruits
future - future
gastronomie - gastronomy
guitare - guitar
histoire - story, history
historique - historic
hypnotique - hypnotic
idée - idea
identiques - identical
idiot - idiot
illuminée - illuminated
images - pictures
imagination - imagination
imbecile - imbecile
immédiatement - immediately
inexplicable - inexplicable
information - information
inséparables - inseparable
intensément - intensely
intéressant - interesting
intéresse - interests

intolerable - intolerable, unbearable
invitent - they invite
l'éternité - eternity
l'adresse - address
l'aéroport - airport
légende - legend
liquide - liquid
littérature - literature
majesté - majesty
médiévale - médiéval
membre - member
mentionne - mentions
mentionné - mentioned
moderne - modern
monstre - monster
musique - music
mystérieuse - mysterious
nerveux - nervous
normalement - normally
novembre - November
occasion - occasion
octobre - October
offert - offered
papa - papa, dad
papier - paper
paralysé - paralyzed
parc - park

pardon - pardon, excuse me
parents - parents
parfum - perfume
particulièrement - particularly
passé - passes
passé - passed
passeport - passport
patience - patience
perfection - perfection
permet - permits, allows
personne - person
perturbé - perturbed, bothered
pétals - petals
photos - photos
pirate - pirate
place - place
police - police
populaire - popular
possibilité - possibility
possible - possible
potion - potion
prépare - prepares
préparer - to prepare
présence - presence
présente - present
président - president

princesse - princess
prison - prison
prisonnière - prisoner
probablement - probably
problème - problem
prof - professor, teacher
professeur - professor, teacher
psychiatre - psychiatrist
question - question
rapide - fast
rapidement - quickly
réalité - reality
restaurant - restaurant
romantique - romantic
rose - rose, pink
royal - royal
rurale - rural
sandwich - sandwich
sarcasme - sarcasm
satisfaction - satisfaction
seconde - second
secrèts - secrets
sentimentale - sentimental
septembre - September
sérieusement - seriously
sérieux - serious
serpents - snakes

Cognates

situation - situation
spécial - special
spécialité - specialty
stupide - stupid
super - super
supérieur - superior
supermarché - supermarket
surpris - surprised
table - table
taxi - taxi
téléphone - telephone
téléphoner - to telephone
télévision - television
terreur - terror
terrible - terrible
terrorisé - terrorized
théâtres - theaters
touché - touched
triomphe - triumphs
triplées - triplets
trophée - trophy
typique - typical
typiquement - typically
valentin - valentine
vampire - vampire
visite - visits
vomir - to vomit

About the Author

Ever since her grandmother shared letters and photos from her own Japanese pen pal with her as a child, Kristy Placido was fascinated by other cultures. Books served as her ticket into other times and places for her first 21 years, and then she got a passport and went off to study in Mexico. She was so hooked by her time in Mexico that she decided to become a Spanish teacher and made plans to head to Spain the next year.

For Kristy, travel has never been about the landmarks. It is all about the people. Everyone has a story, and the day-to-day life of people is fascinating! Bringing the warmth, color, and depth of Hispanic culture and language to her high school students is her true passion. Driven by her desire to provide quality reading experiences to her own students, Kristy has written several other novels: *Robo en la noche*, *Frida Kahlo* and *Noche de oro*. She also co-authored *Brandon Brown versus Yucatán* and various Spanish curricula for novice to upper levels.

Kristy has been teaching Spanish since 1997, and since 2000 has been living and teaching in her hometown of Fowlerville, Michigan. She would like to thank Brad, Justin and Joel for their love and support. She would also like to thank her editor, Carol Gaab for her unending patience and hard work and her colleague, Carrie Toth for the feedback and encouragement.

Other Novellas in French

Brandon Brown dit la vérité
Brandon Brown veut un chien
Brandon Brown à la conquête de Québec
Le Nouvel Houdini
Nuits mystérieuses à Lyon
Pirates français des Caraïbes
Le vol des oiseaux
Problèmes au Paradis
Felipe Alou: l'histoire d'un grand champion

Visit FluencyMatters.com for a complete selection of novels in various languages.

FluencyMatters.com